KT-522-164

Zu einer Zeit, da Rose Ausländer kaum Gelegenheit zur Veröffentlichung hatte, in der für sie Schreiben gleichbedeutend mit Leben und Überleben war, gelang es ihr, diese in kleine Notizbücher übertragenen Gedichte nach dem Krieg aus ihrem besetzten Geburtsort Czernowitz herauszuschmuggeln – eine Zeit, die Rose Ausländer mit den Worten beschrieb: »Sie ist ein Traum, ein langer schwarzer – aber es kommt das Erwachen deines Selbst, zur Helligkeit, zur Zeitlosigkeit!«
Dieser Band enthält eine Auswahl von 109 Gedichten der Jahre 1927 bis 1947 aus dem literarischen Nachlaß von Rose Ausländer. Formal gehören sie in ihre erste Schaffensperiode, als sie den traditionellen Gesetzen der Metrik und des Reims folgte, und zeugen – zugleich verdichtet und auratisch umglänzt – vom Unversöhnten im versöhnlichen Ton ihrer Lyrik.

Rose Ausländer, geboren am 11. Mai 1901 in Czernowitz/Bukowina, gestorben am 3. Januar 1988 in Düsseldorf. Sie studierte Literaturwissenschaft und Philosophie. Die Jüdin überlebte die Jahre der Verfolgung durch die Nationalsozialisten in Czernowitz. 1946 wanderte sie in die USA aus, kehrte 1964 nach Europa zurück und zog 1965 nach Düsseldorf. Seit 1972 lebte sie dort im Elternhaus der Jüdischen Gemeinde. Sie veröffentlichte mehr als dreißig Gedichtbände und erhielt zahlreiche literarische Auszeichnungen, u.a. 1977 den Andreas-Gryphius-Preis, 1980 die Roswitha-Gedenkmedaille der Stadt Bad Gandersheim und 1984 den Literaturpreis der Bayerischen Akademie der Schönen Künste.

Im Fischer Taschenbuch Verlag liegen die *Werke* Rose Ausländers in sechzehn Bänden vollständig vor.

Unsere Adresse im Internet: www.fischer-tb.de

Rose Ausländer

Denn wo ist Heimat

Gedichte

Rose Ausländer – Werke
Herausgegeben von Helmut Braun
Band 2

2. Auflage: August 2000

Veröffentlicht im Fischer Taschenbuch Verlag GmbH,
Frankfurt am Main, Januar 1994

Zusammenstellung für diese Ausgabe
Fischer Taschenbuch Verlag GmbH, Frankfurt am Main
Lizenzausgabe mit freundlicher Genehmigung des
S. Fischer Verlags GmbH, Frankfurt am Main

Umschlaggestaltung: Buchholz/Hinsch/Hensinger
Druck und Bindung: Clausen & Bosse, Leck
Printed in Germany
ISBN 3-596-11152-8

1927 – 1947

Amor Dei

Er ist der Leib, in dessen Innenraum
wir ruhn und rollen ohne Unterlaß.
Er ist die Erde, und er ist der Baum
sein Mund, die Grille und das Gras.
Er ist der Wellenschaum, der Himmelssaum,
der Äther und der Dinge Ebenmaß.

Er ist der Geist, aus dem sich jedes Ding
mit Atem, Schauer, Licht und Leben regt,
der dein Entzücken, deine Pein
in seinen glanzgetränkten Augen trägt,
der deine Lust dein Ja, dein Nein
in seine grenzenlose Liebe legt.

Kein Halt und Halten, keine Heimat hat
die Welt für mich und dich in ihrem Ring.
Wir sind Verzauberte in fremder Stadt,
uns ewig Wandelnde von Ding zu Ding,
bald grünend, bald verwelkend wie ein Blatt,
bald Larve, Raupe, bunter Schmetterling.

In seine Hände und in seine Huld
strömt aller Wandlung ewige Wiederkehr
und Scham und Schönheit, Süßigkeit und Schuld
zusammen wie die Flüsse in das Meer.
Und jeder Mythos, jeder dunkle Kult
bringt uns zur letzten Ruhestätte her.

Er gibt uns Allen seine Liebe wie
ein Feuer, das, was es berührt, entbrennt.
Jeder Funken wird zur Melodie
auf seinem weitgespannten Instrument,
und alle einen sich zur Symphonie,
die, alles liebend, sich als Gott bekennt.

Kreuzigung

Wieder spannt Eros das magische Kreuz
auf den höchsten Felsen der Erde,
wieder ergreifen mich Schergenhände,
wieder vernehm ich die dunkle Beschwerde!
Wer gab dir die Macht, um Freiheit
zu frei'n, die Macht zu eigener Fährte?
Wer säugte dein Blut mit Abtrünnigkeit,
wer formte dir eigene Werte?
Ans Kreuz mit dem blauen Asketenherz,
mit dem lauen Poetenherz, das Liebe nicht zehrte!
Ans Kreuz mit der sündigen Seel,
ans Kreuz mit dem Herzen voll Fehl,
das Lieb nicht verklärte!

Eros, du dringst in mich ein,
zerrst widerstrebendes Herz aus fleischenen Gittern!
Nägel der Sehnsucht blitzen mir brennend ins Blut!
Leuchtende Träume brechen heraus und zersplittern!
Ach, an Gerüste geschraubt,
atemversengend umschnaubt von Feuergewittern,
hängst du verröchelnd am Kreuz, heißes Herz!
Doch welch ein geheimes Erzittern
zaubert in deine schreckliche Qual
die strahlende Pracht von sternenden Flittern?
Taumelnde Todespein, lechzende Liebespein –
pendelndes Herz zwischen ewigem Zittern!

Ach! Ein dämonisches Sterben ist
in mein süß-sanftes Leben gebrochen!
Aus dem erschütterten Leib
ist die Opferkerze des Kreuzes gekrochen:
Längbalken der Liebe – berauschender Liliendolch –
hat meine friedliche Stille durchstochen,
Querbalken des Leids, deine Arme umspannen die Liebe,

umspannen auch mich mit ewigen Jochen!
Eros, dein Hohelied schlägt zu mir flammend empor,
Eros, du hast mir dein Herz versprochen!
Züngelnde Weißglut, entzündest mich zur Wollust,
brennst dich hinein in die brechenden Knochen!

Himmelsspiel

Himmel, Märchenfreund, wie spielen wir in deinen
Ätherräumen!
Eine Zauberschaukel schenkst du mir aus Wolkensamt
mit Sonnensäumen
und großen Demantknöpfen aus Sternen und Schnüren
aus Kometenstreifen,
und wenn du winkst, schwingt sie mich himmelauf zu
Feuerschweifen.

Und dort bist du und nimmst mich in das Leuchten
deines Lächelns,
und hauchst mich an mit der Munterkeit eines Morgen-
fächelns,
und überrieselst mich mit dem kollernden Kinderlachen
deiner Weite,
und hüllst mich in ein duftiges Traumgewand aus
himmelfeinster Seide.

Engel, aus deinem Faltenkleid flatternd, spielen mit
hüpfenden Bällen.
Drollige Monde sind's – sie klirren hinweg über wolkige
Schnellen.
Rings röten Sonnen dahin auf weltweiter Bahn in heißen
Gesängen,
und blaue Blumen blühn um mein Weiterziehn mit
duftenden Klängen.

Mählich zerbröckelt dein Spiel, auf deiner Stirn trauern
Dunkelheiten.
Du träumst dich in einen nachtschwarzen Mantel, ich
darf dich begleiten –
und du lauschst den Wesen, und wo ein Weh, liebst du's
in deine Ferne.
Himmel, Märchenfreund, Spieler, dein Spiel spielen wir
gerne.

Niagara Falls I

Ein wildes Tosen braust mir dumpf entgegen
und zieht dämonisch mich in seine Runde.
Ich steh erstarrt. Aus Elementenmunde
stürzt keuchend, brüllend und mit mächt'gen Schlägen
herab des Kataraktes Donnerregen.

Herangewälzt in schweren, breiten Gassen
zerpeitschen grünlich-graue Wassermassen
die hohen Wände und die Felsterrassen
und wie ein Glorienschein, dem Licht entflogen,
umgürtet dreifach sie ein Regenbogen.

Aus weißer Nebelschleier Wolkenwallen
zerstiebt das Dunstgewebe weit im Fallen,
um mit Gedröhn die Welt zu überschallen,
und zischend bäumen hoch sich Gischt und Fluten
und überschäumen sich in kühlen Gluten.

Und siegend wie ein Gott stürzt in sein Bette
der majestät'sche Höhenstrom hinab
millionenmal zu sterben eilt dem Grab
im tollen Wirbelspiel er zu, als hätte
er froh den Tod gewählt in kühner Wette.

O mächtiger Strom, du ewgen Schaffens Zeichen,
du grollst und rollst und suchst dir zu entfliehen,
denn bist du da, wird es dich weiterziehen.
Du Bild des Kämpfens, Sterbens, Neuerhebens
wie bist du grausam schön, du Bild des Lebens.

Abendangst

Sieh die Tiere in dem Pelz der Nacht
über Schwellen huschen, die sich krümmen.
Eine schöne Schlange tanzt und lacht
über das Erschrecken bleicher Stimmen.

Mit der Abendangst verstrickt im Strauch
wirrer Wünsche sind die Wimpern der
schlaflos Träumenden. Im blauen Rauch
ragt die Säule Salz starr wie ein Speer.

Die Quelle wiederholt den alten Vers.
Der Berg lehnt lauschend an das Langgewohnte.
Aus dem Gequälten quillt der Schmerz
in die zerrissene Nacht, die ihn nicht schonte.

Schöpfung und Tod

Aus geflügeltem Staub
sprüht die Gestalt,
sei es Stein oder Blatt,
Mensch oder Traum.

Die gegliederte Form
dringt aus dem Muttergrund.
Mit Sprache begabt
ist jedes Dinges Mund.

Jede Farbe im Wind
hat einen glühenden Pol.
Bilder bilden sich blind,
wo Verborgenes wohnt.

Liebe im Elektron,
Spannung im Stern –
Schöpfung und Tod
im innersten Kern.

Laß es geschehen

Wie sind wir diesen Tagen untertan:
den Pfaden mit dem zarten Löwenzahn,
den Föhren, deren Harzduft süßer macht, singt
ihr jungen Herzen, die der Lenz beschwingt.
Den Bergen, wo das Echo nie erlischt
und sich mit Erden – Sternenstimmen mischt.
Wie sind wir diesen Tagen untertan!

Wie fühlen wir dies Tal in seiner Ruh!
Wir fliegen mit den Flüssen Bergen zu,
Wir halten seine Halden an der Brust
und seine Weiten werden uns bewußt,
am Goldduft. Viel vertrauter wird das Weh
weit über unserm Scheitel strahlt der Schnee.
Wie fühlen wir dies Tal in seiner Ruh.

Der Wanderer

Die Spiegel sind verteilt an Flüsse.
Der sich erblickt und wandern muß
unter dem Niederschlag der Nüsse,
er schöpft die Zeit mit hohler Nuß.

Er folgt dem wilden Vogelschwarme
bis in das letzte Sonnennest.
Ein Flügel fällt ihm in die Arme,
daß ihn die Schwungkraft nicht verläßt.

Dem Wurzelwerk sich anzupassen,
treibt es ihn öfter unterwärts.
Im Labyrinth der schwarzen Gassen
unter der Scholle schlägt ein Herz.

Nur oben ist es nicht geheuer:
im strengen Zauber steht der Stern
geschmiedet an das fremde Feuer.
Doch mit dem Mond verkehrt er gern.

Abschied II

Dieses Letzte möchte ich euch sagen,
Freunde, die ich überall verlor,
weil ich maßlos meinen, euren Tagen
eine Liebespflicht heraufbeschwor.

Viel geschah an mir von vielen Trieben
und die dunklen Welten kennen mich.
Meine Engel, die ich einst vertrieben,
wurden Feuer und verbrennen mich.

Nicht verstören will ich euch mit Flammen,
die ihr immer weiter mir entweicht –
doch ich weiß: wir wachsen einst zusammen,
wenn mein Geist im Tode euch erreicht.

Zur Ruh gebracht

Der letzte Vollmond schmeckte süß
wie eine saftigjunge Nuß.
Ich naschte ihn von Traum zu Traum.

Es fiel ein Stern auf meine Stirn
eh ich ihn spürte, war er fort:
Die Freundin steckte ihn in's Haar.

Die Ahornblätter blickten hart
und mürrisch in die goldene Nacht,
sie wiesen meinen Gruß zurück.

Warum, geliebtes Laub, warum?
Ich ging zum Wind, der weicher war,
er wischte die Verwirrung weg.

Ein schlankes Wasser war erwacht,
da schwammen alle: Stern und Blatt,
von meinem Mond zur Ruh gebracht.

Wo die reinsten Worte reifen

Wo die reinsten Worte reifen
Lenze blinken rosenneu
Liebende einander streifen,
ohne Scham, doch voller Scheu.

Ist es heilig still und keine
Lippe lallt gewohnten Gruß.
Zeugend waltet nur der eine
unsichtbare Genius.

An deinen Traum

Mein Herz erträgt nicht solchen Höhenzug!
Die Wolken halten es mit dunkler Macht.
Verhalten harrt mein Fittich auf den Flug.
Noch ist es Nacht!

Die Flüsse lehren mich den steten Gang.
Die Wiesen weisen auf ein leises Tun.
Der Stern hält Mäßigung im Überschwang:
Im Glanze ruhn.

Der Wasserfall, den meine Sehnsucht sucht,
braust hinter Bergen, die kein Fuß betrat.
Ich brauche auch die veilchenblaue Bucht,
den Fichtenpfad.

Wenn deine Braue über Steppen fliegt,
was soll ich noch in meinem leeren Raum?
Ich falte mich zum Falter, der sich schmiegt
an deinen Traum.

An den Überirdischen

Nimm den Kranz von deiner Stirn,
der dich so erhöht
daß dich, wie den höchsten Firn,
Gletscherluft umweht.

Herrlich bist du anzusehen,
aber irdisch nicht.
Nur in deinem Schatten stehn
will ich, Leib aus Licht.

Auch dein hoher Schatten ist
halbenthüllter Glanz.
Bis ich werde, was du bist,
leih mir deinen Kranz!

Stern der Ferne

Ich weiß, du bist ein Herz voll junger Rosen,
und du verschmähst es nicht vor mir zu blühn.
Du duftest süß in meine übergroßen
Verdüsterungen, daß sie sanfter glühn.

Wir haben unsere immergrünen Gärten,
in unsern Lauben schweben Tauben glatt.
Hier ruhen wir von allen hundert Härten
der kriegerischen Zeit, der rauhen Stadt.

Hier kann das Bange nicht so scharf geschehen
mit milden Monden schau – hellt uns die Nacht,
und unsere Jahre, die hier schnell vergehen,
hält stark der Stern, du Ferne in der Nacht.

Das Leben entflieht

Das Leben entflieht – und ich liebe dich!
Und du weißt es nicht und bist fremd und fern –
O beleidige mich, o betrübe mich,
o erniedrige mich, doch liebe mich
nicht länger wie einen unnahbaren Stern!

Du kamst und du gingst – ich entbehre dich
wie der Säugling die Brust – mein Weh ist wild!
O begehre mich, o zerstöre mich,
ich beschwöre dich, doch verehre mich,
Geliebter, nicht wie ein entkörpertes Bild!

Das Leben entflieht – und du kommst nicht mehr!
Nie hör ich dich wieder – dein Schritt war mein Lied!
Ach, du kommst nicht mehr – mein Zimmer ist leer,
die Tage tropfen ins Tränenmeer,
und ich liebe dich – und das Leben entflieht . . .

An die Sonne

Wo sich dein Wesen entfaltet,
halten wir unser Geschick,
bis es an dir sich gestaltet,
bebend ein Weilchen zurück.

Breitet dein Lächeln sich über
einen gefallenen Stern,
sammeln die Strahlen im Fieber
wieder sich köstlich im Kern.

Lerntest vom Herrn deine Milde,
liehst von den Engeln das Licht.
Wer wandelt über Gefilde
selig und segnet dich nicht?

Der Waldberg

Den zerschnittnen Leib aus Serpentinen
gibt er allen, allen will er dienen.

Aus dem Moosfleisch drängen Pilz und Blume,
seiner liebsten Jahreszeit zum Ruhme.

Wenn die Sonnensilben ihn beschwören,
opfert er sein bestes Blut den Beeren.

Den verstrickten Wurzeln seiner Bäume
überträgt er seine Gipfelträume.

Seinem Haupt erlaubt er nur ein Denken:
licht zu sein und sich dem Licht zu schenken.

Bangigkeit

Dich zu verlassen, bangt mein Menschensein
doch sind nicht alle Himmel aufgetan?
Und weiß ich nicht, daß neue Erden nahn,
wenn du es einst vergißt, daß ich noch bin?

Warum steht schwarz ein Engel vor der Tür,
und Schlangen sind der Efeu meiner Wand?
Noch dienen Mond und manche Sterne mir,
an ihrem Feuer wärme ich die Hand.

Sie zu verlassen bangt mein Menschensein.
Geht es zu Ende? Geht es zum Beginn?

Nur diese Gabe

Verschlafne Räume
im Raum des langsamen Nachmittags
schwemmen ihre Träume
ein mütterliches Wiegenlied
in mein verwaistes Zimmer:
Ich bin immer müde, immer.

Ich habe keine Habe,
nur die Gabe
der allgemeinen Mutter:
Ihren intimen Rhythmus
sommerlicher Pfade
in meiner Stube –
O unverdiente Gnade!

Bergpartie

Dort fließt der Pfad – schon bin ich angelangt.
Das Tal erschauert und die Höhe schwankt.

Ein Quell jauchzt auf und stürzt sich schnell und schmal
wie eine Silberlerche in das Tal.

Entrückte Landschaft eines Vogellieds,
vom Rot des Sommerodems übersprüht.

Karpatengipfel. Jede Felsfigur
ist eine klar vollendete Skulptur.

Die Luft ist Duft. Der Serpentinenkranz
dreht mit dem Morgenglanz sich sanft im Tanz.

Oktobermeditation

In der größten Stadt den Herbst erfahren,
hier die prächtigste der Jahreszeiten,
ist ein Fest, an dem sich alle Farben,
beteiligen in ihrem eigenen Stile:
Das Blau präzis, das Grün ins Rot verschoben,
das Silberhelle aus dem Grau erhoben. –
Goldne aufgeschlossene Gassen gleiten
unmittelbar ins Zentrum der Gefühle.
In den Parkbereichen wohnen Götter
unseres Kinderglaubens. Wir erwachsenen Kinder,
nah dem Wesen der verwesten Blätter,
spüren das Herz des Herbstes an diesen Tagen
in uns und in den Dingen schlagen.

Jugend I

Als noch das Leben nah war und der rote
Ruf der Verliebtheit durch die Venen drang,
war der Stern nachts, tags Schmetterling der Bote
von Welt zu mir, von mir zum vagen Klang.

Alles war Ton und Grazie – Baum und Blume
hatten Gesichter, Nasen edellang.
Männer erhoben sich zum Heldentume
und wurden in mir zu klarem Gesang.

Die Mutter und der Bruder waren Mythen,
geheimnisvolles Gut im kühlen Schrank.
Aus Kellern flog ein Duft von dunklen Blüten
in meinen verworren hellen Überschwang.

Und wo ich stand war Zentrum. Jahreszeiten
waren mein Gleichgewicht. Den Übergang
von Traum und Rausch in reife Eigenheiten
erfuhr ich plötzlich wenn Musik gelang.

Der blinde Gott

Die Augen mit dem Rosentuch verbunden
stellt er sich blind, den Köcher in der Hand.
Schon schwirrt der Pfeil – jetzt wird er dich verwunden
Du lachst und weinst an seinen Schritt gebannt.

Sein Atem führt dich über Traum und Treppen
in das gefürchtet ungeformte Land
Flieh vor den Wölfen – hungrig sind die Steppen
Fata Morgana sieh im Wüstenland

Die Nacht baut dir ein Bett aus roten Sternen
Küß das Mirakel das der Gott erfand
Nichts ist verwehrt befreundet sind die Fernen
und du gehörst dem vollen Blutverstand

Blaßblaue Tage I

Blaßblaue Tage halten die Herzen so milde
süßer vertieft sich das Weh um den alten Verlust.
Herbstfäden wehen silberlang über Gefilde,
und der Alpdruck der Zeit fällt leicht von der Brust.

Nimm süßes Kind diese honigduftenden Reben,
allen Sinnen zum Trost; auch die Nelke sei dein!
Wolken sind nah wie der Traum und fern wie das Leben
aber der hellblaue Stern dort läßt dich allein.

Werden die Möwen ihre Nähe verschmähen
um dir zu huldigen, ach der Verzicht ist zu groß!
Laß ihnen Freiheit! Nimm diese blaßblauen Nähen
diese schon welkenden Tage auf in dein Los!

Blaßblaue Tage II

Goldene Schleier liegen auf deinen Wangen
liebliche Landschaft, mir seit Äonen vertraut.
Flötet der Hirte melancholisch dein Bangen,
werden aus südlicher Sehnsucht Lauben erbaut.

Werden die Kriege deine Seidenhaut trüben?
Ach, wenn auch diese herrliche Heimat verfällt,
wo werden unsere heiligen Rehe sich lieben?
Welche Verstrickungen halten uns noch in der Welt?

Laß uns irgendwo hinter Monden verbergen
Sterne sind strahlend verschwiegen und geben nicht preis.
Blühende Mohnblumen fiebern schon aus den Särgen,
aber unsere Blumen, die Wolken, sind weiß.

Abendverse I

Alle Kelche sind schon zu,
denn der Tag geht groß zur Ruh.
Auf den Hügeln, auf den Matten
liegen schon die langen Schatten,
    denn der Tag geht groß zur Ruh.

Hirten ziehen heimwärts schon
mit gedämpftem Flötenton.
Sterne öffnen Silbertüren,
strecken Strahlen aus, die führen
    uns ins Schloß der nahen Nacht.

Hier ist alles märchenblau:
Blume, Engel, Kind und Frau.
Alle Dinge werden lichte
durchsichtige Traumgesichte:
    Blume, Engel, Kind und Frau.

Regt sich nichts im großen Saal?
In der Nische glüht der Gral.
Nur der Ampel matter Schimmer
ziert das stille Dämmerzimmer.
    In der Nische glüht der Gral.

Alle Augen fallen zu,
denn der Tag ging groß zur Ruh.
Durch das Mondtor treten helle
Träume in die Schloßkapelle.
    Dieser Tag ging groß zur Ruh.

Wonnig schmeckt der Tod

Der Rosenstern des Paradiesapfels
leuchtet im Teller der Gewöhnung.
Die geborstene Haut blutet uns entgegen.
Das karge Salz, die scheue Süße,
die wunderbare Gliederung des Fleisches,
der nurhiermalige Duft –:
wonnig schmeckt der Tod der zarten Frucht.

Zu den Firnen

Deine Höhe zu ermessen,
Gipfel, steige ich ins Tal,
und erst hier, von dir besessen,
treff ich blindlings meine Wahl.

Sprich für mich mit den Gestirnen,
halte alle Feuer fest,
bis ich fliege zu den Firnen,
bis die Scholle mich entläßt.

Mai I

Pfad und Pflanze aus Kristall.
Kühles Glühn im Tropfenfall.
Glanz im glatten
atemlosen Stundenstrom
um der Wünsche Babylon,
goldne Schatten.

Scharf die Flächen. Wilde Luft.
Herb der ungeklärte Duft
der verstreuten
Gräser. Aus der Blütenflut
sprühn Sterne in das Blut
der Erneuten.

Klare Härten, Stahl und Stein
mildert mütterlicher Schein.
Wahlverwandte
Winde halten unsre Hand,
bis der Mond uns übermannt
und verbannte.

Bilder uns verwirren.
Wie sind wir einsam ohne sie!
Rufe rollen.
Wohin ziehen
mailiche Magien
unser Wollen?

Aus Erz

Fliegender Atemzug Lippen entlang.
Um deiner Wangen Bug klagt noch ein Klang.
Laß deinen Fuß vertraut auf Rosen ruhn.
Was deine Hand noch baut, ist eitles Tun.

Süße Gelassenheit um Stirn und Haar!
Schweben durch blasse Zeit stiller Gefahr.
Wenn dich die Brandung ruft, Schaum hinterher,
steigst du nicht steingestuft über das Meer?

Daß Bräute um dein Herz werben, muß sein.
Du aber bleibst aus Erz: tönend und rein.

Das vollendete Gedicht

Die großen Worte, die sich farbig spreizen
auf einem Hintergrund aus Glanzpapier.
Sie werfen sich mit grellem Donnerreigen
in dein Gehör und lassen nicht von dir.

Sie breiten dir den Samt der Himmelshügel
als Teppich hin und führen deine Zeit
durch Silbertau und seidne Tränenspiegel
in die erdichtete Unsterblichkeit.

So hat uns mancher Mund schon übermannt
mit Feuerwerfen unser Herz verbrannt
und unser sanftes Frauenblühn zertreten.

Wir brauchen das vollendete Gedicht
den keuschen Klang, das klare, reine Licht,
um wieder Kind zu sein und still zu beten.

Dein Wesen zu erhöhen

Dein Wesen zu erhöhen
in steter Steigerung,
gehst du durch alle Wehen
der Schmach und Weigerung,
du kannst dich nicht verbannen
aus deiner Bangigkeit,
und deine Flügel spannen
dich weiter als die Zeit.

Du wähnst es zu erlernen,
mit Maßen umzugehn.
O lern es von den Sternen,
dein Wesen zu erhöhn.
Zu vielen bunten Fahrten
ist deine Lust erwacht,
in deinem Blute warten
tausendundeine Nacht.

Schmück dich mit allen Farben,
die zu Gebote stehn!
Wieviele Leben starben,
dein Wesen zu erhöhn!

Die Antwort

Sie kam zu dienen und erhalten.
Es war ihr mütterliches Los.
Sie diente treu den großen Alten,
und manchmal wähnte sie sich groß.

Ihr halbes Leben war vorüber,
als sie allein und klein sich fand,
und jede Stunde stürzte trüber
hinüber in den Stundensand.

Ihr Fragen brach aus den Geleisen,
belagerte den leisen Ort
des fernen Gottes und der Weisen.

Die Antwort kam in vielen Stilen,
die lieblichste: ein halbes Wort,
rythmisch, aus nimmermüden Spielen.

Der Unmündige

Wenn er sich sträubt, der junge unmündige Mund,
zu schweigen im zweifelhaften Geschick,
weil sein strahlend unerprobtes Glück
ihn blind macht doch nicht stumm und
er sagen muß, was er nicht künden kann:
fängt er immer wieder neu von vorne an
und sagt es allen, die nicht hören wollen:
wie innig und wie unsagbar es ist,
dies Ding, das wir zu Tode leben sollen,
um zu erleben wie es wirklich ist
und überwirklich jede junge Stunde –
Das stammelt er mit dem unmündigen Munde.

Was uns allen angehört

Ich bin in meinem Raume urallein
und alle Grenzen sind so fern, so fern,
daß nur ein Ragen im entrückten Stern
an sie gemahnt. Und doch ist alles mein,
was dein ist, was uns allen angehört
und was sich unserm Traume nicht verwehrt.

Ich führe einen langen Schlaf im Hain,
wo Monde sich gesellen zu den Rehn,
und schlanke Lenze sich im Tanze drehn.
Doch, wahrlich, auch im Schlafe ist es mein,
was dein ist, was uns allen angehört
und was sich unserm Traume nicht verwehrt.

Der Baum setzt Ringe an, ihr stummes Sein
umklammert mich mit einem starken Kreis
der Reife, die noch nicht ihr Ende weiß.
Ich aber weiß: dies alles ist schon mein,
was dein ist, was uns allen angehört
und was sich unserm Traume nicht verwehrt.

Die Muschelblume

Ich fische Muscheln aus dem Meer
und baue eine Blume, ganz Gehör.

Ich leg mich in ihr Kelchgeweide
und pflanz sie in die Schollenseide

im Garten meines Herrn die Jahre fließen.
Als Muschelblume lieg ich ihm zu Füßen.

Was tut's, daß er's nicht merkt? Doch staunt er sehr:
IN MEINEM GARTEN RAUSCHT DAS MEER!

Eva

Sie gab ihm eine Aprikose,
die duftete nach Mittagsruh,
Dann warf sie eine Rose
wie einen Ball ihm lachend zu.

Er ließ sie fallen. Aus dem Stengel
hob sich die Schlange, schlank und schlau.
Sie glitt zu ihrem Lieblingsengel
dem Apfelbaum und bot der Frau

den Apfel an. Sie stand im Bann
rot roch der Apfel in der Hand.
Sie aß und gab den Rest dem Mann,
erkannte ihn und ward erkannt.

Mit Adam fand sie sich im Korn.
Der Sonne roter Apfel schien.
Daß sie der Herr in seinem Zorn
verfluchte – – sie verzieh es ihm.

Glaskugeln sind wir

Ruft eine Baumseele grünes Ermahnen,
duftet der Honig der Dolden herein,
läutet ein Lerchenlied sternisches Ahnen,
quillt aus dem Sonnenberg süßester Wein.

Stehn wir im Mittelpunkt, hoch wie Polare,
rings wirbeln Welten, die Ewigkeit brennt.
Eine Sekunde fliegt tausend Jahre
und die Erscheinungen sind transparent.

Glaskugeln sind wir, kristallisches Schauen.
Nur eine Knospe, die weiß sich verschließt,
hängt noch als letzte Figur in dem Blauen,
das unsre sphärischen Räume durchfließt.

Der Atem

Atem: unüberlegtes Aus und Ein
der Umwelt – dein Lebendigsein.

Du bist die Mitte: alles ordnet sich,
verdichtet sich zu Raum um dich.

Gefangnes Ich – es kann dir nicht entrinnen,
bis in den letzten Schlaf bist du sein Innen.

Gleichmaß von mütterlicher Luft verwöhnt,
farblose Musik, die noch nicht tönt.

Im Einklang mit den andern tonbeschwingten
Atmungen, die dich vielleicht bedingten,

bist du der Geist von Atemhorizonten,
die ohne dich sich nicht erkennen konnten.

Nun schwingen sie, nach dem Erkennungsakt,
in Klang Gekleidete zu deinem Takt.

Der Bergwald

Sinds meine eigenen Bronnen
oder von mir ersonnen
der Strahl aus Kristall und Gesang?

Ist das Grün seine eigene Färbung
oder das Grün der Vererbung
in mir, das hier aus mir drang?

Und die Bäume, sinds seine Glieder
oder meine verzweigten Lieder,
die Silben aus Blättern geschürzt?

Die Vögel, das Moos und die Lichtung:
sinds seine oder meine Dichtung
mit Versen aus Harz gewürzt?

Die Blumen wollen wir teilen,
das Gras, das Laub und die steilen
Abhänge, auch das Getier.

Aber der Gipfel, der Hüter
der Täler, die meine Güter
sind, er gehört mir!

Unverbunden

Die Muse schläft im Park, der jetzt erwacht
und nah ist, nur zwei Blocks von meinem Haus.
Doch ich bin fern und meine Zeit ist Nacht,
wo Schatten wohnen und die Fledermaus.

Sogar im Traum weiß sie um mich Bescheid,
schickt ihre Fliederboten, grüßend, bis
an meine Tür, die fest verschlossen ist.
Durch Ritzen dringt der Maiduft in mein Kleid.

Ein Vogel wippt auf meinem Fensterbrett
unwirklich wie im Bilderbuch des Kindes.
Stürmische Botschaft bringt der Rausch des Windes
und Sonnenkringel hüpfen um mein Bett.

So viele Zeichen, aber unverbunden.
Die goldnen Flüge liegen ohne Huld
im Schoß der Muse und die leeren Stunden
hängen im Dunkel meiner Ungeduld.

Versfiguren

Ich glitt durch Dimensionen in den stillen
Dämmerungen und Verwandlungen,
die mich betrafen, aber ohne Willen.

Tiere erkannten meinen Namen, kamen
magnetisiert in meine Handlungen
und hatten stumme, ungestörte Namen.

Wind trieb sein Spiel mit mir in krausen Zeiten.
Die Schlange wand sich um den weisen Baum.
Fische aus Licht und andre Seltsamkeiten

waren das Selbstverständliche. Ein Wesen
zukünftiges begleitete den Traum
mit Zeichen, die ich lesen konnte, lesen

wie diese Worte, aber sie verschwanden.
Andre Beziehungen zu einst erspürten
verehrten Menschen waren jäh vorhanden

und schwanden gleich. Sie hinterließen Spuren
in Reimen, die sich rings um mich gruppierten
und sich verdichteten zu Versfiguren.

An die Nacht

Ich bin in deinen Atem eingegangen,
o mondne Nacht und trage keine Verlangen
nach andern Rhythmen wie der Tag sie bringt.
Ich traue der Musik, die aus dir dringt
und werde, was du bist: erlöster Ton.
Nichts ist geblieben, alles ist geflohn – –
Nur du und ich, so inniglich vermählt
zu einem Klang, von Orpheus beseelt.
Nur du und ich. Ich trage kein Verlangen
mehr, bin in deinen Atem eingegangen.

Der düstre Glanz

Ich habe immer alles so begehrt,
als wäre es der wesentlichste Wert,
von keiner Erde, keinem Stern gestört.

War es der Lenz, da war der Lenz es ganz.
War es der Tanz, da war das Leben Tanz
so unbedingt wie jetzt der düstre Glanz,

der in mir brennt und meine Kraft verzehrt.

Das Lied der Sommerzeit

Die Wiese summt das Lied der Sommerzeit.
Die Margariten spenden weiße Huld
und dienen seinem dunklen Fragekult.
Verborgen hält der Klee dein Glück bereit.

Der Kuckuck rühmt sich seiner Ewigkeit.
Zwei Silben spannen seine Seele hin
in eine Welt, die grün ist, immergrün.
Die Lerche singt das Lied der Sommerzeit.

Du forderst wieder ein Unendlichkeit
von jedem Strahl, der auf dem Leben ruht.
Du trinkst den Rausch der Heide in dein Blut
und stammelst leis das Lied der Sommerzeit.

Des Dichters Brauch

Gärten haben sich entfaltet.
Hier behutsam setz den Fuß,
daß kein Grashalm mißgestaltet
unter dir sich krümmen muß.

Heilige die keuschen Pfade
mit dem allerreinsten Schritt.
Keine Huld und keine Gnade
findet, wer den Wurm zertritt.

Wer den Schmelz der Schmetterlinge
tiefer liebt als Gold und Gut,
den erlösen frei die Dinge,
den nimmt Gott in seine Hut.

Laßt uns neue Lieder winden
um den blütenstillen Strauch.
Alles suchen, alles finden,
ist des Dichters frommer Brauch.

Die Brunnen

Auf meinen Wanderzügen
sind viele Brunnen da.
Ich laß die Schlangen liegen
und was durch sie geschah.
Von ihren scharfen Giften
heilt mich der klare Trank.
Ich bin bis an die Hüften
umrankt von Halmen schlank.

Doch geht es durch die Wüsten,
wo keine Blumen stehn.
Ich lechze nach den Küsten
und kann nicht weitergehn.
Mir ist, ich sei zerbrochen,
ein Krug, den jeder läßt,
und die verlornen Wochen
stehn um den Scherbenrest.

Da hör ich Töne fallen
und steigen, wie zur Zeit
als noch die Nachtigallen
mein Abendweh erfreut.
Es sind die Brunnen, welche
mich lange nicht gekannt,
und Glocken, Blumenkelche
gehn auf in meiner Hand.

Die Quellen II

Die Quellen murmeln ferne
ich hör sie in der Nacht,
wenn am Geraun der Sterne
mein Heimlichstes erwacht.

Es flüstern sich die Ufer
verwegne Worte zu,
und ungerufne Rufer
entsteigen ihrer Ruh.

Wenn Welten sich verwunden
verfinstert sich mein Blut.
Ich bleibe blutverbunden
dem Geist, der Wunder tut.

Die Quellen murmeln weiter,
als wäre nichts geschehn.
Wird je mein Herz sich heiter
mit ihrem Sang verstehn?

Wie werden sie die Leere dulden

Und wenn sich alle Schalen füllten
in ihrer Speisekammer, bis
die Hungrigen den Hunger stillten,
die Nacht sie kühlt' mit Finsternis:

Wie werden sie am nächsten Tage
die Leere dulden in dem Haus?
Und wer wird ihre Kinderklage
beruhigen mit Kuß und Schmaus?

Ist es die Mutter? Ist's ein milder
Stilliebender, der Brot und Wein
zaubert in ihre kargen Bilder?
Sie kehren in ihr Träumen ein

wie der entheimatete Arme,
wie du und ich in eine Stadt,
die noch das helle und das warme
Leben der frischen freien Jugend hat.

Wie lang …

Als wir uns bebend auseinanderrissen
und deine Augen mir mit wehen Grüßen
noch lange folgend, endlich mich verließen,
wie lechzte meiner Tränen Silberfließen,
sich in dein Wesen brausend zu ergießen!
Wie lang werd ich dich missen müssen?

Der Zug durchfaucht Gelände, Wälder, Wiesen.
Schrill gellen Pfiffe. Hart an Hindernissen
entschnaubt er heiß. Es folgen, mitgerissen,
Millionen Stäubchen. Rot in Funkengüssen
zersprüht der dichte Qualm zu meinen Füßen.

Groteske Formen bilden schwarze Riesen,
sie zucken krampfhaft in dem ungewissen
irrlichtnen Schein. Nacht strömt in scharfen Brisen
ins Fenster. Jäh wird Dunkel durchgerissen:
Die Schlange hält, in Schienen festgebissen.

Doch, Liebster, ich – in leidgebundnem Wissen –
kann ferne Pracht und Wunder nicht genießen.
Dich will ich, dich, und dich muß ich vermissen!
Mein Herz verdorrt! Aus goldnen Paradiesen
vertreibst du mich mit nichtgegebnen Küssen.
Wie lang werd ich dich noch entbehren müssen?

Die Vermittlung

Gott gab ihnen seinen Garten
immergrüner Lebenszeit
Tiere Früchte aus dem Vollen
die durchsonnte Ewigkeit.

Gab sich selbst in jedem Obstbaum
bis auf einen: die Gefahr
seinen Zwiespalt zu erfahren
war zu groß – er liebt' das Paar.

Nur die Schlangentochter kannte
das Geheimnis das Verbot
die Langeweile der Geschöpfe
die Erlösung durch den Tod.

Die Vermittlung war gelungen
auch des Engels Feuerzorn
und sie lagen engumschlungen
menschenklein allein im Korn.

Ein Echo

Warum ist jede Nacht ein Wirbelwind?
Und sind die Schatten nicht gezählte Zeit
entlang dem Ufer langer Einsamkeit?
Und ist mein Gott der Liebe immer blind?

Einst gab es Weise, Magier vielleicht,
die im Kristall durchdrangen ihren Raum,
und jeder kam und brachte seinen Traum,
und ob der Deutung ward ihm licht und leicht.

Nun stehn die toten Dinge doppelt da,
denn überall sind Spiegel aufgestellt
und rühmen sich des Reichtums einer Welt,
die nur im Spiegel ihre Schönheit sah.

Es zieren zarte Dinge meinen Hang,
mit Gott und Beelzebub vertraut zu sein.
Ich frage immer tiefer mich hinein –
die Antwort ist ein Echo, fern und bang.

Tiere

Tiere im Gebüsch verbrüdern
sich minutenlang
ihr Alleinsein zu erwidern.

Tragen ihren Zwang
mit dem Adel ihrer Stille
ihrem weichen Gang.

Ihre Wünsche eint der Wille
dem das Tier gelang
in Instinkten dunkler Fülle
und versagtem Sang.

Frei wollen Dinge

Sieh, eine Abendhand
öffnet die Tür,
streichelt die wehe Wand,
zögert vor dir.

Denn deine bunte Pracht
macht, daß sie weicht,
bis du den Glanz der Nacht
im Stern erreichst.

Wenn Falterflügel fliehen,
sind Schwingen schon
groß im Vorüberziehen
dein Trost und Lohn.

Frei wollen Dinge dir
untertan sein.
So ist die zarte Zier
tiefer noch dein.

Wenn sich die Gnade neigt,
senke das Haupt.
Lieblichstes Lied, das schweigt,
silbenberaubt –

Geburt

Der Mohnmund, schwarzen Schlaf in seinen Zähnen,
ißt deinen Atem, bis du dunkel bist.
Du badest deinen Muttertraum in Tränen
und rufst dein Kind, das ungeboren ist.

Kometen brennen einen gordischen Knoten
aus Feueromen in den wunden Ort.
Die Menschen rüsten sich, es kommen Boten
und alle Welt erwartet die Geburt.

Der Urwald widerhallt von brünstigen Schreien.
Die Sonne wälzt einher den gelben Geist.
Bärtige Männer stehn in runden Reihen
um eine Wöchnerin, die ewig kreißt.

Neue Ewigkeit

Ich will, Geliebter, jene Wege finden,
die du einst liebtest so wie ich.
Ich suche sie mit meinen toten, blinden
vergangnen Augen, suche sie und dich.

Es waren unsre hellsten Herzenstage,
ein Traum vielleicht, der uns befahl.
Wir wußten um das Weh der Drosselklage,
uns aller Quellen wahlverwandter Qual.

Was sich einst zeitenlos an uns begeben,
hält mich im Banne auch in dieser Zeit.
Ich winde alte Ewigkeiten um mein Leben,
zum Sternenbogen heller neuer Ewigkeit.

Mein Blick

Mein Blick ist rund, rund wie der Himmelsrand,
der seinen Kreis um meine Winzigkeit spannt.
Ich bin ein Stäubchen, in die Luft gebannt –
und rings ist Wand – – mein Blick allein ist Brand,
und loht hinüber über Wand und Rand.

Die Näh ist breit, die Ferne schmaler Schein.
Mein Blick saugt Näh und Ferne in sich ein.
Mein Blick ist Brennpunkt, klarer Edelstein,
zieht harte Linien um das träge Sein,
um streng geschiedne Formen ihm zu leihn.

Mein Blick rollt durch den Raum, ein Sonnenball.
Hier preßt er zwingend einen Wasserfall,
dort zeichnet er aus Gipfeln einen Wall,
spritzt in den Himmel Sterne aus Kristall,
und rundet alles ein zu einem All.

Doch wenn die tiefe Dunkelheit das Licht
verschluckt und schwarzes Nichts um alles flieht,
tanzt aufgeschreckt ein Strahl aus dem Gesicht,
der zu den Sternen eine Brücke bricht,
und Nacht und Finsternis verlöscht ihn nicht!

Gestörte Idylle

Au und Garten rufen meine weite
Neugier, die sich nicht vor ihnen ziert.
Heute trägt die Welt ein Kleid aus Seide,
und ihr Körper ist noch unberührt.

Ein gelocktes Lämmlein blökt und weidet
anspruchslos im heimatlichen Gras.
Aus der Quelle, die mich manchmal meidet,
tönt ein Namen, den ich fast vergaß.

Kronenschwan. Am Gleiten seiner Würde
bin ich irgendwie beteiligt, wie
weiß ich noch nicht. Seine weiße Zierde
blüht in meiner blinden Sympathie.

Schwarze Tropfen fallen aufs Gefieder –:
kranker Tau, ein giftiges Geflecht
oder der Namen, den die Quelle wieder
beschwört und der sich an mir rächt?

Hinter Schleiern

So viele Welten schlafen
und sind noch nicht erwacht.
Als wir einander trafen
war es noch dichte Nacht.
Um silberzarte Schläfen
ziehn Monde einen Ring.
Beflaggt sind alle Häfen
auf einen Zauberwink.

Denn schönes Leben feiern,
ist göttliches Gebot.
Noch schien matt hinter Schleiern
der unberührte Tod.
Es brausen tausend Bronnen
Dem heimlichen Gehör.
Und lang verlassne Wonnen
sind wieder voll und schwer.

Wenn sich die Königskerzen
entzünden, wo die Welt
mit allen süßen Herzen
im Rausch zusammenfällt,
ist es wohl Zeit, zu wachen.
Es weicht die dichte Nacht
und viele Welten machen
sich auf in reifer Pracht.

Immer blühen

Immer blühen heilge Gärten
einem Kind gewordnen Blick.
Knospen, die sich stolz verwehrten
kehren reuig her zurück.

Engel schreiten durch die Beete
streuen kühlen Morgentau.
Aus der Sonne duftet Röte
aus dem Himmel duftet Blau.

Winterlose Rosenhaine
milde Myrthe, linde Luft:
Immer findet euch der Reine,
der euch aus den Winden ruft.

Im stillen Sternestand

Wo waltet sie, die königliche Hand,
die Myrthen windet um erwähltes Haupt?
Sie schimmert matt im stillen Sternestand,
von keinem Dämon, keinem Gott beraubt.

Sie ist mit jeder Erdenhand verwandt,
und dennoch feierlich entrückt dem Tun.
Es schreibt ihr Finger Zeichen in den Sand.
Der Sternedeuter liest sie: schönes Ruhn.

Ihr Hände haltet ein: am Himmelsrand
hält euer Urbild, sternenhaft entbrannt,
den Segen über aller Kreatur.

O Feuerfinger, hier noch unbekannt,
ihr flimmert mit im stillen Sternestand
in einer neu entstandnen Sternfigur.

Konstellationen

Ein Heilkraut wächst im Garten eines Traumes
im engsten Zentrum meines Innenraumes.

Zum Zauberwein brau ich die rauhen Stengel
und finde mich im Blumenreich der Engel.

Mein Staunen klopft an meine toten Jahre.
Sie öffnen Türen in das Unsichtbare.

Ich trete ein in umgestülpte Zeiten
unwiederholbarer Einmaligkeiten,

die Töne werden. Klangkonstellationen
entstehn und bitten mich, sie zu vertonen.

Meine Sommerflur

Ach, selbst mein Versagen liebt dich sehr!
Die Winter brennen böse mir im Blut.
Das Lächeln deiner Landschaft lockt mich mehr
als aller Metropolen Glanz und Glut.

Ich habe deine Halme einst geschaut
auf einer Heide überm Wolkenbug
dort nahm ich täglich einen Silberkrug
und wässerte das zarte Himmelskraut.

Wenn es nach jenen Gärten mich verlangt,
sind deine Reize meinem Sehnen hold.
Die Säulen bröckeln ab, die Mauer bricht.
Nur meine Flur bleibt sommerechtes Gold

Nacht I

Sterne läuten durch die Nacht
bis der letzte Traum erwacht.
Geister gleiten durch die Räume
rütteln an das Tor der Träume
bis der letzte Traum erwacht.

Auch der Mond tritt schon hervor
aus der Träume hohen Tor.
Alle Wesen, die gewesen
alle Guten, alle Bösen
treten aus dem hohen Tor.

Keine Welt verschließt sich nun
diesem Abertausendtum
Träume sinds, die Throne zieren
Träume, die das Zepter führen
in dem Abertausendtum.

Und des Träumer's bleicher Blick
nimmt die Welten Stück für Stück
nimmt sie in sein Innenschauen
die sich babylonisch bauen
im Erschauen, Stück um Stück

Jubelndes Verjüngen

Fest umarmt von allen Dingen,
die um meine Sphäre schweben,
wächst ein jubelndes Verjüngen
neu herauf in meinem Leben.

Meine Hände werden Schalen,
alle Strahlen aufzufangen,
die in bebenden Opalen
aus dem Regenbogen prangen.

Meine Augen werden Vasen,
meine Blicke Lichtkaskaden,
und die Blumen aller Rasen
können in dem Tauraum baden.

Hügel, Halde und besonnte
Lämmerwolke sind mein eigen,
und der Freund, der Süßgewohnte,
wohnt in meinen Aderzweigen.

Nur der Geist

Die Flut, die Nachtsintflut bricht ein!
Oben spannen Segel sich im Boot,
Stücke Leben flüchten vor dem Tod
in die Höhlen embryonaler Sterne.
Noah's Arche ist das Boot im Mond,
nimmt die Gottgefälligen in Hut,
in den Weitertraum aus Raum und Ruh.

Blaß, o blaß die neue Erde,
naß und nebelig die erste Stunde,
taumelgrau die Dämmerluft.
Nur der Geist, der Geist schwebt überm Wasser,
über Flut und Ebbe, Scham und Schlaf,
über den geretteten Gerechten
und den Ungerechten schwebt der Geist.

Reflexionen

Wie im schnellen Wandelbild
jegliches vorüberhastet,
hier verebbt und dorten schwillt,
und doch nimmer ruht und rastet;
bist du Rollen und Erregung,
stets bewegt und Allbewegung.

Nichts geschieht was du nicht fühlst.
Alles liegt in dir gegründet;
und die Welt ist, wenn du stiehlst,
ehrlos und durch dich versündet.
Doch wenn deine Seele singt,
sieh wie sie im Rhythmus schwingt.

Und doch ist, was in dir ist,
gar nicht dein und unerklärlich.
Jeder Stern und jeder Mist
speist dich, ist dir unentbehrlich.
Alle Körper, alle Seelen
müssen sich in dir vermählen.

Wenn du deinen Bruder liebst,
tränkst du auch dein Herz mit Freude.
Doch wenn du nur Haß ihm gibst,
krankst und faulst du selbst am Neide. –
Immer bist du mitbeteiligt,
selbstgeschändet – selbstgeheiligt.

Auch dein Schlaf ist Strahl und Sturm,
selbst dein Traum ist schöpfrisch Schaffen,
und du steigst – ein Höhenturm –
auf, wo hundert Himmel klaffen.
Ach, daß dich der Tag erblindet,
und dein Fünklein schwelend schwindet!

Glaubst, du bist schon bald am Schluß?
Doch du hast noch nicht begonnen.
Warte! ungeduld'ger Fluß,
bis dein Blut ins Meer geronnen.
Alles Leben mußt du leben!
Du mußt morden! du mußt geben!

Oh! die Seele überschäumt,
die ekstatisch Fernentrückte!
Grober Raum ist weggeräumt, –
Glanz geworden die Verzückte,
und ihr ist nichts sonst verblieben,
als zu strahlen und zu lieben.

Reinere Räume

Wenn sich der Ginsterstrauch
feindlich versagt,
und feuchter Fieberhauch
aus Tiefen klagt:
eile dem Wolkenspiel
nach in der Höh.
Wer hohem folgen will,
mindert sein Weh.

Ach, deine Erden ziehen
scheu sich zurück,
und Fliedergärten fliehen
schon deinem Blick.
Nur deine Träume sind
noch nicht entlaubt.
Reinere Räume spinnt
sinnend dein Haupt.

Hemmungsloser

Hemmungslos wie Wasserfälle
oder wie die heiße Quelle,
hemmungsloser die Dämonen,
die in meinen Träumen wohnen:

Gärten nach dem Ebenbilde
der elysischen Gefilde,
doch verstrickt mit den Gestrüppen
unterirdischer Wurzellippen.

Mütter mit der Mondesmilde
nach Maria's Ebenbilde,
schon verfolgt von Werwolfweibern
mit zentaurisch wüsten Leibern.

Säuglinge mit runden Blicken,
schwarz umschwirrt von giftigen Mücken.
Moses mit dem weißen Stabe:
Eine Stange und ein Rabe.

Feuer: Sonne oder Hölle?
Tiefe: Abgrund oder Quelle?
Duft von Lilien oder Leichen?
Sterne oder Fragezeichen?

Hemmungslos wie Wasserfälle
oder wie die heiße Quelle –
hemmungsloser: die Dämonen,
die in meinen Träumen wohnen.

Age of Anxiety

Verlassene Strecken behüteter Worte.
Die Welt kocht synthetisch in der Retorte.

Veilchen aus Stein. Falter: Metall.
Radio, schalt ein deine Nachtigall.

Rauschende Röcke: vorbei Madame.
Die Lorelei verlor ihren Kamm.

Angstzeit, wir fliegen mit den Atomen
in deinen Raum aus rauchenden Omen.

Ich wölbe die Rose

Den erregten Frühling will ich
beruhigen mit den weißen Worten
meiner frühesten Schneeglocken.
Ich öffne unerschrocken
die schneeverwachsnen Pforten.

Er peitscht mir spitze Flocken ins Gesicht.
Ich trockne ihre Striemen
mit meinem eignen Haar.

Mein Wetter überrascht die Büsche
mit Sonnenlicht.
In meiner Fensternische
nistet der Sonnenvogel
und brütet seine goldnen Eier.
Wie könnte es sonst Ostern sein?

Den widerspenstigen Frühling will ich
mit meinem eignen Frühling bändigen.
Ich wölbe schon die Rose rot.
Nach Auferstehung riecht das Osterbrot.

Eliblau

Leiter aus Schatten und Äther
jenseits der Mauer des Lichts.
Die verfinsterten Meter
hängen gewichtslos im Nichts.

Sterne mit zuckenden Zungen.
Brücken aus knirschendem Glas.
Mondeis ins Blut gedrungen.
Asche aus Abend und Aas.

Vernichteter Tempel. In Trümmern
wohnt der endgültige Sohn.
Seine Lichtjahre schimmern
eliblau im Elektron.

Auf mitternächtlicher Au

Mein Herz ist voller Muße
nur unverwelkter Zeit
wenn es am Blumengruße
sich neuen Frühlings freut.

Die Arbeit mag mißlingen
der Tag ist bald vertan
doch bei den Schmetterlingen
fängt neues Zeitmaß an.

Wenn sich die Menschen mühen
und sich ihr Rücken krümmt
hebt über mir ein Blühen
an, das mich jünger stimmt.

Mit Busch und Bach zu sprechen
verlangt es mich, wenn ihr
behaftet mit Gebrechen
nicht weicht von unsrer Tür.

Setzt euch zu Wein und Karten
und küßt die fremde Frau!
Mich wird der Mond erwarten
auf mitternächtlicher Au.

Aus dem Süden

Wir staunen vor den süßen Früchten
den goldnen Feigen im Orient
und unsre Sinne sind mit Süchten
erfüllt, in denen Sonne brennt.

Wohl küßt der Sommer alle Halme
doch Winde aus dem Süden sprühn
in unser Blut die Glut der Palme
auf daß sie auch im Norden blühn.

Das Treffen

Im feuchten Reich die dunklen Schichten.
Wie halten sich die Wurzeln wach?
Die Sonne kann sich schwarz verdichten.
Mit heller Zunge schwatzt der Bach.

Willst du Forellen tanzen sehen?
Es ist kein Märchen – gib nur acht.
Das Blei, im Wald erprobt an Rehen:
metallnes Erbteil deiner Macht.

Aus fettem Sumpf emporgeschossen
das überhohe, hohle Rohr.
Ein Unkenruf. Es ist beschlossen:
das Treffen zwischen Mond und Moor.

Im Augenwinkel

Flächen schneiden sich im Augenwinkel.
Verse fliegen nach dem Takt der Schatten
auf und ab in meinen Blicken.

Feinste Fäden zieht die Himmelsspinne
vom Polarstern bis zum Augenwinkel
und fängt alle Sterne ein wie Fliegen.

O es wiegen sich im seidnen Netze
meine Flügelwelten, meine Verse,
meine traumgespannten Geigensätze.

Blaue Bäche, goldne Felder schneiden
heiß und schneekühl sich im Augenwinkel
und verdrängen meine Finsternisse.

Sonntaglang ist meine grüne Straße,
und das Karussel der Sonne dreht sich,
dreht mich um das Kupferherz der Erde,

um die goldnen Flächen, Silberberge,
Sternennetze, wo die Verse schaukeln,
meine Puppen mit den Engelsaugen.

Dreht mich um den kleinsten Punkt im Weltall,
wo sich alle Flächen golden schneiden
wie im heißen Pol des Augenwinkels.

Im Monde

Die Margariten nicken auf der Flur,
und droben wehen Wolkenrosen weiß.
Dein Reich reicht bis an meines nur,
mir aber ist zu eng der Himmelskreis.

Auch dieser Pfad, auf dem wir beide gehen,
Du siehst es nicht, führt über dich hinaus.
Wenn Sterne sterben, Sterne auferstehen,
hängt nur ein Schimmer über deinem Haus.

Der Regenbogen, dem mein Herz gehört,
brennt meine Farbe seinen Farben ein.
Wenn das Geliebte hier sich mir verwehrt,
so ist's im Monde ungemeiner mein.

Daß jeder teilhabe

Biene im Krug gefangen
summt um den Blumenverlust.
Im Gebüsch nisten Schlangen
schillernd giftunbewußt.

Horizonte aus Rosen
Kirschen den Wurm im Blut.
Schwalben im ruhelosen
Laub das im Blauton ruht.

Blendendes Windhaar der Flüsse.
Schichten aus Schaum und Laich.
Schwellender Fettball der Nüsse
Adam unendlich gezeugt.

Eva den Apfel als Köder
angelt den Mond aus dem Baum
teilt und verteilt ihn daß jeder
teilhab' am sündigen Traum.

Mein Turm

In meinem Turm schloß ich mich selber ein:
dem eingeweihten Turm aus Elfenbein.

Keiner kennt die Wendeltreppe meines
treuen Turms, die Halden meines Haines.

Niemand weiß, daß meine hohe Vase
eine Falltür ist zur Menschenstraße.

Mit dem Tarnhut kann ich ungesehen
aus dem Turm in alle Gassen gehen.

Nur im Fenster sehn sie mich zuweilen,
wenn sie fieberschnell vorübereilen.

Surrealistische Landschaft

Krause Dinge, scharfe Lichter.
Nelken von der Nacht gepflanzt.
Masken fallen von Gesichtern.
Die erregte Landschaft tanzt.

Tiere kreisen. Sterne mengen
in's Gedränge sich. Ein Wald
flüchtet. Feueraugen hängen
in der Blauluft ohne Halt.

Schnee fällt auf das Pflaster
Uhren liegen schlaff verknüllt.
Bälle, klar, aus Alabaster,
schaukeln um's Marienbild.

Vergessen I

Von deinem Hause wehte froh die Fahne
so festlich nimmst du meine Rückkehr wahr?
Um dich litt ich das Spiel der Ozeane,
und böse Wünsche wühlten mir im Haar.

In deinen feierlich geschmückten Sälen
bewegten viele fremde Menschen sich.
Ich mußte meine Ankunft dir verhehlen,
und in die kleinste Kammer schlich ich mich.

Hier hörte ich gedämpft das heitre Rauschen,
den Tanz, das Lachen deiner Geisterschar,
und alle meine Sinne würden lauschen.

Der fremden Stimmen wilde Vögel kamen
an meine Tür und kreischten Jahr um Jahr,
doch keine Stimme nannte meinen Namen.

Das Auge II

Ein Zartoval, zwei Kreise, feuchter Glanz,
umschattet von der Wimpern Seidenkranz.

Mühelos hält es jeden Gegenstand
in seiner winzigen Pupillenhand.

In seinem grenzenlosen Innenraum
wohnen die Körper, spielen Tausendtraum.

Wandlung I

Ich wähnte schon es sei des Lebens Ende
und keine Farbe könne mir noch leuchten.
Es war ein Abschied und ein letztes Beichten.
Ich reichte meinem Leben beide Hände.

Und konnte voll ihm in die Augen schauen,
da stand ein Bild in leuchtender Pupille
so wundersam und reich in seiner Fülle,
daß mählich, mählich sich mein großes Grauen

verwandelte in einen Wald von Stille,
wo alle Bäume schweigend mich erkannten
und neigend mich bei meinem Namen nannten.

Da fiel von mir der Schwermut schwere Hülle.
Ein Vogel gab mir seines Liedes Seide,
daß ich mein neugeborenes Glück bekleide.

Der Wind

Der Becher klingt nicht mehr in meiner Hand.
Ist es der Süden, der sich so versagt?
Durch alle Dinge meines Raumes klagt
der Nordwind. Keine Geigensaite spannt

mein Finger, seit mein Instrument sich wehrt
zu tönen, weil der Wind dazwischen fährt,
und bitt ich meinen Gott um süßen Wein,
mengen sich Wermut und der Wind herein.

Ich flüchte zu den Rosen, die mich sehr
geliebt, doch ihren Purpur fraß der Wind
und jedes Rosenblatt blickt bleich und blind
in eine Welt, die nichts mehr hat, nichts mehr!

Orpheus

Die Wasser drehen meine Seele
in goldnen Kreisen bis zum Grund.
Hier glüht die Sonne im Juwele
und aus der Perle schluchzt ein Mund.

Ich treibe mit den Silberscharen
der Fische durch die grüne Flut.
Es frieren ihre stummen Jahre
sich immer weißer in mein Blut.

Da geht es mächtig durch die Meere,
die stummste Muschel lauscht erregt.
Erzittert süß die Atmosphäre:
Orpheus, der die Laute schlägt.

Zahl und Zeit

Ich trete durch das Goldportal
der Sonne in mein stilles Zimmer.
Die Zeit wohnt in der Welt der Zahl –
ich werde nicht ihr Eigentümer.

Die Wände richten sich nach mir
nach allen Richtungen. Ich spüre
die stumme Demut ihrer vier
Körper und die Gunst der Türe.

Das Fenster ist die Gnade, der
Kontakt mit Straße, Stern und Kühle.
Nachts werden alle Flächen leer,
bis auf die Dienerin, die Diele.

Schlaf – tastender Zusammenhang
und unterirdisch weites Wissen.
Erwachen: dumpfer Übergang
zu Zeit und Zahl und Zählenmüssen.

Zwischen Fisch und Farben

Der König hat das Land versenkt,
in dem wir wohnen.
Wir wissen nicht, ob er es tat,
um uns zu schonen.

Das neue Reich aus Salz und Wasser
ist namenlos.
Wir finden uns vereint im nassen
verschollnen Schoß.

Ob wir noch leben oder starben
ist uns nicht klar.
Wir treiben zwischen Fisch und Farben
im anonymen Jahr.

Nacht II

In meiner Stube wird es dämmernd still.
Die Winkel summen Abendschweigsamkeit.
Die Wolken wandern wie der Wind es will.
Es schweigt die Zeit.

Ich habe meine Truhen all geleert.
Sie harren auf der Diele, nun bereit.
Das Schweigen zu empfahn, die Dunkelheit,
die mir gehört.

Die Türen beben in den Angeln nun
vor meinem Fenster löst sich Schein um Schein.
Die Sterne ruhen schon in meinen Truhn,
wie Edelstein.

Es knistert im Gemäuer vor der Macht
des Traumes, der schon meine Schwelle weiht.
Nun sind wir alle nichts als eitel Nacht.
Es schweigt die Zeit.

Zwischen zwei Sphären

Rosenhast und Dornenpfad.
Zwischen zwei Sphären:
ein Atemzug, ein Knirschen im Rad,
ein schwarzes Beschwören.

Gipfelglocke am Brunnengrund.
Gesicht, das zerschellt ist.
Blick dem Moloch nicht in den Mund,
der groß wie die Welt ist!

Hell – Dunkel

Es ist ein Schimmer auf der Flur
in Margaritenweiß,
und wir verfolgen seine Spur
bis in das dünnste Reis.

Wir liegen schwer und dunkelbraun
im Traum des stillen Hags,
und mit verhaltnem Atem schaun
wir in das Aug des Tags,

der beides hält: den hellen Flaum
der leichten Blumenwelt
und unsre Lehmigkeit, wie Baum
vom Blitze hingefällt.

Glanz streift am Saume unser Leid,
versilbert unsre Hand.
Wir sind die Schatten unsrer Zeit,
ihr schwarzer Trauerrand.

Mai II

Die Welt ist Mai – o alles lächelt Mai!
Kein Grau mehr blieb, der Himmel blaut herbei.

Verliebte ziehn erlöst an uns vorbei
und preisen unsern Blumenmond, den Mai.

Die Sonne segnet alles, daß es sei
und daß es schön sei, schöner sei im Mai.

Im Flieder duften Märchen süß und neu
und küssen die verbannten Träume frei.

Du weißer Hauch, flaum-zartes Männertreu
vom Wind besiegt, doch jedem Mai getreu.

Und Falter du, verspielte Flatterei,
verklärtes Lerchenlied, o Blütenweih.

In mir, in euch, im wilden Vogelschrei
ist Mai, ist Schöpfung, schöpferischer Mai!

Der Pfau

Ich hab nicht sein geblähtes Flitterblau,
kann mich nicht fächeröffnen wie der Pfau.

Ich schlage Rad in meinem Traumorient
mit meinem unterdrückten Temperament.

Strahlender Vogel mit dem Schurz aus Sternen:
nie werd ich dein Selbstgefühl erlernen.

Für P. A.

Du hast mit deinen Sternen nicht gespart.
Die Fernen drängen sich an deine Tür.
Es bricht der dürre Ast der Gegenwart,
Die guten alten Mächte dienen dir.

Denn wo ist Heimat? Keiner weiß Bescheid.
Wo Schwalben nisten, sind wir nicht allein.
Die Chrysanthemen nehmen unser Leid
Hinüber in ihr leises Anderssein.

Wenn Schatten heut dein Lorbeer sind, verhüll
Das Antlitz, bis die Möwe wiederkehrt.
Es ist so dunkel wie dein Herz es will,
Das staunend seinen Wert von dir erfährt.

Ein Raunen reiht sich deinen Dingen an.
Du stehst mit vielen Stimmen schon im Bund.
Vergiß, wann diese kleine Zeit begann.
Die großen Zeiten segnen deinen Mund.

P. A., das ist Paul Antschel (Paul Celan)

Pieta I

für Guna

Sie hüllte sich in hundert Schleier
und irrte trauernd um das Licht.
Am Abend trat sie an den Weiher
und nahm die Schleier vom Gesicht.

Des Nachts die Nacktheit zu ertragen
war schon zu viel, und morgens war
in hundert Schleier sie geschlagen
und in ihr langes Dämmerhaar.

Es mochte wohl einmal geschehen,
daß ihr Gesang in Stücke brach.
Da stand sie unter scheuen Rehen
und weinte, lachte, sang und sprach.

Und oft in tiefer Abendröte
verbarg sie hinter Wolken sich
und streute ihre nackten Nöte
auf dich, Erbarmender, auf dich.

Du wirst die Schleier nicht versengen
nun tritt sie über'm Wolkenrand
und späht nach dem verlornen Engel
der ihre Liebe noch nicht fand.

Du brauchst die Priesterin

Ich bin die Priesterin der Weizenähren.
Ich opfere im Tempelfeld
dem Gott der Sonne reife Beeren.
Mein Feld ist immer gut bestellt.

Herr und Sommerkaiser, deiner
Behörde dien ich. Nimm mein Dienen hin.
Der Weizen füllt sich schwerer unter meiner
Beschwörung. Du brauchst die Priesterin.

Spinoza I

Des Meisters denk ich, adelig und schlicht,
aus dessen Wort die Stimme Gottes spricht.

Des Meisters, der sein Werk so klar und rein
geschliffen hat, wie einen Edelstein.

Des Brillenschleifers, arm und ungenannt,
ein Fremdling seinem Volk, von ihm verbannt.

Er schritt in Demut seine steile Bahn
zu seinem Gotte unentwegt hinan.

Man bot dem heilgen Ketzer Sünderlohn,
man spie ihn an voll Geifer, Haß und Hohn.

Und Dolche waren gegen ihn gezückt,
und keine Judenhand die seine drückt'.

Zu Ruhm und Ehren rief ein König ihn.
Ein Jünger gab ihm seine Habe hin.

Er schritt in Demut seine steile Bahn
zu seinem Gotte unentwegt hinan.

Des Meisters laßt uns denken überm Grab,
der seines Werkes Edelstein uns gab!

Einsame Weihnachten

Glanz und Schimmer in der Stadt.
Alle Waisen schweigen tief.
Wer heut' keinen Menschen hat,
lauscht ob ihn der Heiland rief.

Glocken tönen dunkelfern,
auf den Dächern blinkt der Schnee.
Einsam hängt ein dünner Stern
unerreichbar in der Höh.

Tannen duften herb und rein.
Bunte Dinge glitzern glatt.
Grenzenloses Einsamsein
in der großen fremden Stadt.

In den Stuben Licht an Licht,
auf den Straßen Strahl an Strahl.
Auf den Heiland warte nicht,
Einsamer am Marterpfahl!

Funken tanzen durch die Nacht.
In dem Saale prangt der Baum.
Viele Jünger sind erwacht,
nur der Heiland liegt im Traum.

Kinder sind wir, groß und klein.
Alle Stuben sind geschmückt.
Über unserm Einsamsein
hängt ein Bruder qualgeknickt.

An einen jungen Künstler

für M. Freed – Winninger

In deinem Herzen wächst das zarte Licht
Heran wie Löwenzahn im Frühlingsraum.
Der Schatten deiner Zeit berührt dich nicht
Mit Totenmalerei und Silbenschaum.

Ich weiß, es lieben schöne Engel dich.
Du darfst in leisen Farben ihnen nahen.
Vor deinem Schritte neigen Stengel sich,
Die tiefer dich als deine Mutter sahen.

So laß dich wachsen wie das Wetter will:
Dem Lichte treu, dem Wolkenbruch vertraut,
Mit Liedern erdenlaut und sternestill,
Mit Bildern, die dein Künstlerauge baut.

Nur die Mutter

Wenn verstimmte Sterne sich verbinden
zum Nichtmehrschimmern einer Nacht,
andere Lichtquellen sich nicht finden,
auch der Mond nicht erwacht
aus dem Abgrund fauler Finsternisse
Schlangen ihre flachen Köpfe strecken,
treten die Gewissensbisse
aus den dunklen Ecken.
Du kannst dich nicht verstecken.

Ein zorniger Engel leitet die Schar,
dicht unter deinem Augenpaar
bleichen die Leichen
der Verlassenen im kühlen Linnen.
Du bist draußen, sie sind drinnen.
Du bist vergangen, sie sind da.
Wer weiß wie es geschah?

Nur die Mutter blieb mild
auch im Tod.
Alle andern sind wild,
zwicken deinen Atem, wollen deine Not,
hassen dein warmes Blut.
Nur die Mutter blieb gut.
Mit segnendem Gebet
zündet sie die Sabbathkerzen an.
Der Spuk zergeht,
der Himmel legt die Gebetsriemen seiner Sterne an.

Requiem I

Meiner Mutter

Aber sie war größer als ihr Sterben.
Ihre armen abschiedlosen Erben
wußten noch nicht, was sie hinterließ,
bis aus ihrer durchsichtigen Gabe
trotz der Undurchdringlichkeit im Grabe
jäh ihr Bild erstrahlte und der Platz
war hinfort ein unerhörter Schatz.
Ihr Erscheinen hing als ein Geschmeide
in der Luft – und wurde Trauerfreude.

Die Mutter

O daß die Toten sich in uns erheben
und immer unbedingter in uns leben.

Wie trat sie ein, die Mutter, Schicht um Schicht?
Ich bin ihr Schatten und sie mein Licht.

Der Friedhof

Keinem Sturm gefällig, steht die Mauer
hoheitsvoll in heimatloser Trauer.
Herrisch trennt sich das einmal Gewesene
von dem Seienden, bis die erlesene
Wahl es zu den Andern ruft, den Grüften.
Vögel ziehen in verwaisten Lüften,
die überall zu Hause sind wie Tote.
Grabsteine wachsen weiß und ohne Note
mit starren Namen in die Einsamkeit. –
Und rastlos fällt der feine Staub der Zeit ...

Requiem II

Mutter, Wesen, das um mich gewesen
wie die Luft und wie der Atem rein.
Mütterlich den Guten und den Bösen
wie der ausnahmslose Sonnenschein.

Mutter, sanfteste der sanften Frauen,
schön und leise und in schlichter Zier.
Helle Heiterkeit der Sommerauen
hing als steter Schimmer über dir.

Hast mit deinem Schicksal nicht gestritten,
Ohne Klage trugst du deine Pein.
Hat dein armes Herz nun ausgelitten?
Darfst du weiter dort ein Engel sein?

Mein Kind I

Mein ungebornes Kind, das ich einst träumte,
war grün wie junges Laub im Junihauch.
Im nächsten Traum war es ein Bach, der schäumte.
In einem andern war's ein Rosenstrauch.

So blieb mein Kind in allen Farbenspielen
des Traumes. Er gestaltete mein Kind.
Ich füge es zusammen aus den vielen
Vermessenheiten, die mein Träumen sind.

Im Traum halt ich es zärtlich in den Händen
und stille es mit Milch aus Mond und Mohn.
Doch wehrt es sich – ich kann es nicht vollenden.
Ist's eine Tochter oder ist's ein Sohn?

Sprache I

Sie ist Wipfel, Stamm und Laub.
Aus der Wurzel quillt der Laut.

Quillt die Silbe atemnackt,
luftlebendig, traumabstrakt.

Erde, wortgeworden, spricht.
Aus dem Wort steigt ein Gesicht.

Nicht Jehova, ihn darf keiner schaun,
nur sein Ebenbild, in Klang gehaun.

Uhren

Uhren auf dem Galgenholz der Zeit
würgen meine Stunden. Ich bin nicht bereit.

Das Sonnenherz tickt nicht nach ihrem Takt,
der Puls im Laub nicht, nicht der Katarakt,

mein Atem nicht, der ihren Atem hört,
vom Unken jedes Uhrenmunds gestört.

Da baumeln sie, Gesichter rund und dumm,
verkünden monoton: die Zeit ist um.

Der Fluch I

Gefährte aus dem Kolibriland
wann endet unsre Verbannung?
Dein Bild vergilbt im Saal aus Sand.
Unser Schiff fährt ohne Bemannung.

Älter als das Bibelbuch
und das Trauma meiner Frage:
der Fluch – du und ich vereint im Fluch
der Adam-Eva-Sage.

Männer und Frauen ohne Gesicht
feiern die ewige Fehde.
Ein Apparat aus Stimmen spricht
uns schuldig jeden und jede.

O Schierlingfreund delikater Wurm
wühlend in Fleisch und Algen –
wir tragen im Nacken den Babelturm
am Rücken die Balken der Galgen.

In der Bar

Auf hohen runden Stühlen sitzen sie,
die Huren, trinken Cocktail oder ein
anderes Gebräu. Ihr Knochenknie
berührt den Nachbar und er läßt es sein,

denn in des fahlen Raumes Widerschein
gleitet von Glas zu Glas ein Äthergast,
der alle Körper unbemerkt umfaßt
und hält, daß wie im Starrkrampf ihre Pein

und ihre Angst sich nicht bewegen kann.
Sie trinken immer tiefer sich hinein,
in ihren Rausch, ins süße Niemandsein

und in den Stunden zwischen Nacht und Früh
wanken die Huren von der Bar in die
rote Kammer mit dem erstbesten Mann.

Amen

Ich trete in den Mittelpunkt des AMEN.
Es ist eine runde Synagoge mit blauer Kuppel,
durchsichtigen Wänden und Fliesen.
Ein unsichtbarer Engel blickt mich an.

Das rote Gold der sündigen Gebete in der Tasche
verschwand. Wer stahl es mir? Wie zahle ich dem Herrn?
Der unsichtbare Engel schweigt mich an.

Rebekka, mit dem Antlitz meiner Mutter,
wie kamst du her?
Du gingst von mir, um hier zu sein,
im Tempelglanz mit mir zu sein.
Vergib, daß ich nicht beten kann!
Was du bist, geschehe,
AMEN!

Nachwort

Eine hübsche, schlanke Frau, die eilig durch die Straßen von Bukarest und Czernowitz schreitet, das Gesicht ebenmäßig schön, der Gang zielbewußt – was mag sie denken, was mag sie antreiben? Es sind Bilder aus dem Jahr 1939, und Rose Ausländer ist wohl gerade aus Paris und New York zurückgekehrt. Sie hat Trennungen von zwei Männern hinter sich, steht aber dennoch vor einem beschwingenden Aufbruch: Ihre erste Buchpublikation, »Der Regenbogen«, wird in diesem Jahr in der Hauptstadt der Bukowina, in Czernowitz, erscheinen. Daß die Jahre danach alles, was aufgekeimt ist, sofort wieder zerstören werden, weiß sie noch nicht. Der Stern ist auf ihre Stirn gefallen, sie erkennt sich als Dichterin, und ihr ist nichts weniger verblieben, »als zu strahlen und zu lieben«, wie sie im Gedicht *Reflexionen* bekennt.
Doch wird sie die Gedichte ihrer ersten Zeit, entstanden zwischen 1927 und 1947, später »vergraben«, wie sie sich selbst zuvor hat vergraben müssen – im Ghetto, im Kellerversteck, zusammen mit dem Bruder Max und der geliebten Mutter, die 1947 sterben wird. Sie ist nicht die einzige Autorin, die in der Zeit der Reife das Werk der Frühzeit vor den Augen der Öffentlichkeit verstecken möchte; auch eine andere deutsch-jüdische Dichterin, Nelly Sachs, hat so gehandelt. Dennoch bergen gerade die Gedichte Rose Ausländers aus diesen ersten zwanzig Schaffensjahren jene Signaturen, die im späteren Werk wieder aufscheinen. Innerhalb der Bilderwelt begegnen wir bereits hier Vogel, Stern und Fluß, Wald, Blume und Engel. Auch ist der Engel schon im Frühwerk doppeldeutig angelegt – als »schwarzer Engel« wie als heilsamer Bote. – Die Schatten der Zeit werden erstmals angedeutet: »... Ob wir noch leben oder starben / ist uns nicht klar. / Wir treiben zwischen Fisch und Farben / im anonymen Jahr« (*Zwischen Fisch und Farben*). Es gräbt sich jene Spannung ein, welche die

spätere Dichtung prägen wird und ein Lebensgefühl kennzeichnet, das zwischen Geborgenheit und Unbehaustsein pendelt. Zwei Fragen formuliert Rose Ausländer in diesen Jahren, welche ins Zentrum des Schmerzes treffen: »Gefährte aus dem Kolibriland, / wann endet unsere Verbannung?« (*Der Fluch I*) und »Denn wo ist Heimat?« (*Für P. A.*). Hinter den Initialen verbirgt sich kein anderer als Paul Antschel, d. i. Paul Celan, ihr Leidensgefährte und Landsmann. Daß sie gerade im Gedicht, das ihm gewidmet ist, nach der Heimat fragt, erschreckt ob der Hellsichtigkeit:

Für P. A.

Du hast mit deinen Sternen nicht gespart.
Die Fernen drängen sich an deine Tür.
Es bricht der dürre Ast der Gegenwart,
Die guten alten Mächte dienen dir.

Denn wo ist Heimat? Keiner weiß Bescheid.
Wo Schwalben nisten, sind wir nicht allein.
Die Chrysanthemen nehmen unser Leid
Hinüber in ihr leises Anderssein.

Wenn Schatten heut dein Lorbeer sind, verhüll
Das Antlitz, bis die Möwe wiederkehrt.
Es ist so dunkel wie dein Herz es will,
Das staunend seinen Wert von dir erfährt.

Ein Raunen reiht sich deinen Dingen an.
Du stehst mit vielen Stimmen schon im Bund.
Vergiß, wann diese kleine Zeit begann.
Die großen Zeiten segnen deinen Mund.

Es dürfte eines der letzten Gedichte dieser ersten Schaffensphase sein, geschrieben wohl unter dem Eindruck der

Jahre zwischen 1941 und 1944, als die SS-Truppen Czernowitz besetzt und die Juden ausgegrenzt haben. Rose Ausländer hat in jener Zeit etwas verloren, was man Mitte, Sicherheit, Urvertrauen nennen könnte. Ihr Schmerz findet durch den Tod der Mutter seine Kulmination – wieder müssen wir an Nelly Sachs denken, die drei Jahre später ebenfalls ihre Mutter verlieren wird, »bis in ihre letzten Grenzen getroffen, durchgeschnitten«, wie sie in einem Brief an Kurt Pinthus schreibt. Rose Ausländer war somit eine Verwandte der Trauer. »... Wie trat sie ein, die Mutter, Schicht um Schicht? / Ich bin ihr Schatten und sie mein Licht«, sagt sie im Gedicht *Die Mutter*. Wie bei Nelly Sachs werden Mutter und Heimat später in eins zusammenfallen, in eine Unio der Liebe. In den ersten Gedichten taucht die Mutter vor allem als lichtvolle Gestalt auf, mild und gütig, die mit segnender Gebärde die Sabbatkerzen entzündet. Rose Ausländer entwirft mit diesem Bild eine Urszene jüdischer Kindheit, des ehrfürchtigen Aufgehobenseins. Marc Chagall etwa hat sie in seinen Bildern überliefert, Bella Chagall in ihren Erinnerungen »Brennende Lichter«.

Welche Gestalt aber haben die Gedichte dieser ersten Schaffensphase? Es sind zumeist Textkörper von mittlerem bis größerem Umfang, die sich den Gesetzen des Reims und des Metrums unterwerfen. Rose Ausländer zeigt im Umgang mit traditionellen Formen bereits erstaunliche Sicherheit und überrascht mit zahlreichen Variationen. Die Fülle der Gedichte – von den insgesamt vierhundert Beispielen ist nur etwas mehr als ein Viertel in diesen Band aufgenommen worden – weist auf das große Bedürfnis der jungen Rose Ausländer hin, sich schreibend auszudrücken, ein Bedürfnis, das erst kurz vor ihrem Tod versiegen wird. Es bleibt daher schon in dieser frühen Sammlung der Eindruck einer gewissen Redundanz nicht aus. Über manche Verse, die so leicht dahinfließen, liest man leicht hinweg. Meist sind dies Gedichte, die spätromantischer Tradition verpflichtet sind und Bilder aufgrei-

fen, die einstmals gültig waren, kraftvoll und aussagereich, inzwischen aber schal geworden sind. Rose Ausländer spricht beispielsweise von »schlanken Lenzen«, von Rehen und Monden, Schlaf und Hain, aber sie vermag den Prozeß der Entleerung und Beliebigkeit nicht aufzuhalten, auch in ihre Gedichte schleicht er sich ein. Manchmal scheint sie dies zu spüren, greift dann zu Bildern, die originell sein möchten, jedoch forciert wirken (»... Hier glüht die Sonne im Juwele / und aus der Perle schluchzt ein Mund...«, in *Orpheus*). Die Anklänge an Eichendorff, Tieck oder Novalis wirken in manchem ihrer frühen Gedichte epigonenhaft. Sie muß diese Anlehnung später kritisch wahrgenommen haben – der Besuch bei Paul Celan in Paris, 1957, gilt als entscheidende Zäsur. Auch deshalb hat sie wohl das Frühwerk »vergraben«.
Es gibt aber bereits unter diesen ersten Gedichten einige, die auf die spätere Zeit vorausweisen. Sie deuten damit an, daß Paul Celan damals, während der Gespräche und Auseinandersetzungen mit Rose Ausländer, in ihr doch »nur« etwas entbunden hat, was bereits in der Dichterin schlummerte und darauf wartete, erweckt zu werden. Es sind jene schlanken Gedichte, die sich wie so viele spätere aus zweizeiligen Strophen zusammensetzen. Unter ihnen ist eines, *Die Muschelblume*, das auch durch die eigenwillige Bildwahl und die Vorliebe für Komposita spätere Fügungen ankündigt:

Die Muschelblume

Ich fische Muscheln aus dem Meer
und baue eine Blume, ganz Gehör.

Ich leg mich in ihr Kelchgeweide
und pflanz sie in die Schollenseide

im Garten meines Herrn die Jahre fließen.
Als Muschelblume lieg ich ihm zu Füßen.

Was tut's, daß er's nicht merkt? Doch staunt er sehr:
IN MEINEM GARTEN RAUSCHT DAS MEER!

Die vorliegende Sammlung verrät in den ersten Gedichten einen Impetus, der uns auch aus späteren Gedichten der Rose Ausländer vertraut ist. *Amor Dei* und *Kreuzigung* weisen Züge des religiösen Gedichts auf, verraten darüber hinaus aber auch Eigenarten der seelischen Verfassung der Autorin. Wovon sprechen denn die Gedichte dieser frühen Phase, und was für ein Ich spricht sich hier dem Menschen zu? Es wird die Schöpfung in die Sprache hereingeholt, der Mensch in ihr, das Ich, ein liebendes Ich. Doch ist alles schon hier dem Gesetz der Metamorphose unterworfen, Goethes »Stirb und werde«.

> ... Wir sind Verzauberte in fremder Stadt,
> uns ewig Wandelnde von Ding zu Ding,
> bald grünend, bald verwelkend wie ein Blatt,
> bald Larve, Raupe, bunter Schmetterling...
>
> (*Amor Dei*)

Ein hochgemutes Ich spricht, das die Verse oft wie im Fieber, wie in Verzückung zu diktieren scheint, als ob es sich um eine »écriture automatique« nicht der Surrealisten, sondern der Mystiker handelte. Rose Ausländer erscheint wie eine Stigmatisierte der Liebe, aber sie weiß auch um die Dämonie der Existenz, die jeder erregenden Dichtung innewohnt: »... Du Bild des Kämpfens, Sterbens, Neuerhebens / wie bist du grausam schön, du Bild des Lebens« (*Niagara Falls I*). Im Gedicht *Schöpfung und Tod*, das übrigens in der letzten Strophe mit einem originellen Reimpaar überrascht, bringt sie die Ambivalenz auf einen schlüssigen Nenner: »... Liebe im Elektron, / Spannung im Stern – / Schöpfung und Tod / im innersten Kern.« Scharf zeichnet die Lyrikerin diese Dichotomien, und radikal leben sie auch in ihr selbst, bestimmen ihren Hang, »mit Gott und Beelzebub vertraut zu sein«. Aus diesem Bewußtsein stammen also die »schwarzen Engel«, und in schwieriger Gegensätzlichkeit muß sie auch die Liebe erfahren haben, aufregend und erregend, mehr als Ferne denn als Nähe, eher als Ahnen statt als Erfüllung. »Dich will ich, dich, und dich muß ich vermissen!« zürnt sie im Gedicht *Wie lang...* und folgt damit jenem Muster, das beinahe ein Topos der modernen Liebenden ist: immer auf der Suche zu sein nach einem angemessen antwortenden Du, das es so nicht geben kann. Eine deutsch-jüdische Dichterin wie Gertrud Kolmar wird diesen Befund ungleich gnadenloser, ungleich grausamer Sprache werden lassen. Bei Rose Ausländer bleibt dagegen manches im traditionellen Rollenspiel der demütig Liebenden, sich Unterwerfenden stecken.

Wie viele Gefühle drängen sich aber in diesen Gedichten zusammen! Rose Ausländer erscheint als eine Frau von oft gefährlich gesteigerter Emotionalität, die sich in glückhaften Momenten eins mit sich und dem Universum weiß (»Fest umarmt von allen Dingen, / die um meine Sphäre schweben, / wächst ein jubelndes Verjüngen / neu herauf in meinem Leben...«, in *Jubelndes Verjüngen*) und jenen Enthusiasmus evoziert, den der Leser auch aus ihren späten Gedichten kennt. Trotzdem ermahnt sie sich immer wieder zum Maßhalten, werden ihr der Stern, der Fluß, die Wiese zum Vorbild, weil sie alle »Mäßigung im Überschwang« (*An deinen Traum*) bewahren. Die junge Frau aus Czernowitz ist ein sanguinischer Mensch, eine jener Schwärmerseelen, von denen die Stadt am Pruth – nach ihren eigenen Worten – voll gewesen sei. Ihr feu sacré bestimmt die Wortwahl, die Wendungen, kreiert Pathos und hochgespannte Tonlage. Die Sehnsucht nach Entrückung bricht sich Bahn, gefällt sich im »Himmelsspiel«, in »Ätherräumen«. Beriefe man sich hier einzig auf Czernowitz, die Stadt im geografisch-kulturellen Abseits, die solche Gefühle genährt hat, so wäre dies gewiß eine vordergründige, unzureichende Erklärung. Weit eher muß man die Gründe in Rose Ausländers Wesen vermuten, das nach

Weite und umfassender Gebärde schon immer gesucht und gerade deshalb auch die Dichtung ermöglicht hat. Es hatte auch seine Leitbilder: Spinoza zumal, seine Einheit des Geistes mit der ganzen Natur, sowie Constantin Brunner, der sich wiederum an Spinoza anlehnte. Die Anspannung aller Gefühle, aller Sinne hat schon in diesen frühen Jahren immer wieder kraftvolle Verse geschaffen; man denke nur an ein so gelungenes Gedicht wie *Niagara Falls I*, von dem sich etwa Constantin Brunner begeistert zeigte.

Trotzdem läßt schon die junge Dichterin – auch in den Jahren v o r 1939 – Herbstgefühle zu. Auf die Dinge, auf die Menschen fällt nicht einzig der strahlende Blick, welcher von den Sternen zu rühren scheint, sondern oft mischt sich auch Bangigkeit ein. Gerade eine Impression aus dem herbstlichen New York belegt dies leise, aber eindrücklich:

Oktobermeditation

In der größten Stadt den Herbst erfahren,
hier die prächtigste der Jahreszeiten,
ist ein Fest, an dem sich alle Farben,
beteiligen in ihrem eigenen Stile:
Das Blau präzis, das Grün ins Rot verschoben,
das Silberhelle aus dem Grau erhoben. –
Goldne aufgeschlossene Gassen gleiten
unmittelbar ins Zentrum der Gefühle.
In den Parkbereichen wohnen Götter
unseres Kinderglaubens. Wir erwachsenen Kinder,
nah dem Wesen der verwesten Blätter,
spüren das Herz des Herbstes an diesen Tagen
in uns und in den Dingen schlagen.

Auch wenn Rose Ausländer ihr Wesen »erhöhen« möchte, »in steter Steigerung« (*Dein Wesen zu erhöhen*), so weiß sie

doch auch dies: »... du kannst dich nicht verbannen / aus deiner Bangigkeit...«. Als Korrektiv zu einer oftmals allzu hochgespannten Seinslage ist aber gerade diese Schattenseite notwendig. Erst sie wird jene Dichtung stiften, die wir als das reife Werk der Rose Ausländer bestaunen, als Zeugnis erfüllter Menschlichkeit.
Vieles wird zuvor noch als Ballast über Bord geworfen werden müssen, sprachlicher Überfluß und unnötiger Zierat, bis diese Dichtung unverkennbar dastehen wird. Die Sammlung der Gedichte aus den Jahren 1927–1947 enthält ein Beispiel, das merkwürdig berührt, weil es eine Antizipation »in eigener Sache« vermuten läßt:

... Wir brauchen das vollendete Gedicht
den keuschen Klang, das klare, reine Licht,
um wieder Kind zu sein und still zu beten.

Beatrice Eichmann-Leutenegger

Editorische Notiz

Als ich 1982 begann, die Ausgabe des Werkes von Rose Ausländer für den S. Fischer Verlag vorzubereiten, fand ich bei der Autorin tief »vergraben« in einem Schrank etwa 400 Gedichte, die in den Jahren 1927 bis 1947 entstanden waren; also in der Zeit, in der Rose Ausländer noch gereimt und in gebundenen Formen dichtete. Aus diesen Texten habe ich dann 109 ausgewählt, die mir nach Form und Inhalt typisch für die Gedichte aus jenen Jahren erschienen. Rose Ausländer hat diese Auswahl gebilligt. Die Gedichte wurden im Gesamtwerk in dem Band *Die Erde war / ein atlasweißes Feld* veröffentlicht. Sie werden mit dieser Ausgabe erstmalig im Taschenbuch zugänglich gemacht.

Helmut Braun
Königswinter, Oktober 1992

Zeittafel

1901	Rosalie Beatrice »Ruth« Scherzer wird am 11. Mai in Czernowitz/Bukowina (Österreich) geboren.
1907–1919	Schulbesuch Volksschule, Lyzeum Czernowitz und Wien.
1916–1918	Kriegsbedingter Aufenthalt in Wien.
1919	Matura in Czernowitz Seit 1919 intensive Beschäftigung mit der Philosophie (Platon, Spinoza, Constantin Brunner). Mitglied im Ethischen Seminar in Czernowitz.
1919/1920	Studium der Literatur und der Philosophie an der Universität Czernowitz.
1920	Der Vater stirbt.
1921	Im April Auswanderung in die USA zusammen mit Ignaz Ausländer.
1921/1922	Aufenthalt in Minneapolis/St. Paul und Winona. Hilfsredakteurin bei der Zeitschrift *Westlicher Herold* und Redakteurin der Kalenderanthologie *America Herold* (bis 1927). Hier publiziert sie ihre ersten Gedichte.
1922	Ende des Jahres Übersiedlung nach New York.
1923	Bankangestellte. Am 19. Oktober Heirat mit Ignaz Ausländer.
1926	Erhalt der Staatsbürgerschaft der USA. Gründungsmitglied des Constantin-Brunner-Kreises in New York.
Ende 1926	Trennung von Ignaz Ausländer.
1927	Einmonatiger Besuch bei Constantin Brunner in Berlin.

Acht Monate in Czernowitz zur Pflege der erkrankten Mutter. Danach Rückreise nach New York.

1930 Am 8. Mai Scheidung von Ignaz Ausländer.

1931 Anfang des Jahres Rückkehr nach Czernowitz (Rumänien) zusammen mit dem Graphologen Helios Hecht, mit dem sie in den Folgejahren zusammenlebt.

1931–1936 Gedichtpublikationen in Zeitungen, Zeitschriften, Anthologien, journalistische Tätigkeit, Übersetzungen, gibt Englisch-Unterricht.

1934 Aberkennung der amerikanischen Staatsbürgerschaft wegen dreijähriger Abwesenheit aus den USA.

1936 Trennung von Helios Hecht.
In den Folgejahren überwiegender Aufenthalt in Bukarest. Arbeitet in einer chemischen Fabrik.

1939 Reisen nach Paris und New York.
Der Regenbogen. Rose Ausländers erste Buchpublikation, erscheint in Czernowitz.

1941–1944 SS-Truppen besetzen Czernowitz. Rose Ausländer wird im Getto der Stadt gefangengesetzt und darf nach Auflösung des Gettos die Stadt nicht verlassen. Zwangsarbeit, Todesnot, Kellerversteck. Sie lernt Paul Celan (Paul Antschel) kennen.

Frühjahr 1944 Im Frühjahr besetzen russische Truppen die Bukowina. Die jüdische Bevölkerung wird befreit. Rose Ausländer arbeitet in der Stadtbibliothek von Czernowitz.

1945 Im Dezember Ausreiseantrag nach Rumänien.

1946 Im August Ankunft in Bukarest.

	Im September über Marseille Ausreise nach New York.
1947	Die Mutter stirbt in Satu Mare, Rumänien.
bis 1961	Arbeit als Fremdsprachenkorrespondentin bei der Spedition Freedman & Slater, New York.
1949–1956	Rose Ausländer schreibt ihre Gedichte ausschließlich in englischer Sprache.
1957	Von Mai bis November Europareise, zeitweise mit Miriam Grossberg. Drei Treffen mit Paul Celan. Reisestationen: Rotterdam, Paris (und Frankreich), Italien, Griechenland, Spanien, Norwegen, Wien (und Österreich), Schweiz, Paris, Amsterdam.
1961	Am 8. Dezember endet krankheitsbedingt die Tätigkeit bei Freedman & Slater.
1963	Im Mai Reise nach Wien, wo der Bruder und dessen Familie aus Rumänien kommend im Flüchtlingslager eingetroffen sind.
1964	Vierwöchiger Aufenthalt in Israel. Kurze Rückkehr nach New York zur Vorbereitung der endgültigen Übersiedlung nach Wien.
1965	Übersiedlung in die BRD, nach Düsseldorf. *Blinder Sommer*, Rose Ausländers erste Buchpublikation seit 1939, erscheint in Wien.
1966	Rente und Entschädigung als Verfolgte des Naziregimes.
bis 1971	Zeit des Reisens in Europa. 1968 letztmalig für sechs Monate in den USA.
1966	Silberner Heine-Taler des Verlages Hoffmann und Campe, Hamburg.

1967	Droste-Preis der Stadt Meersburg.
	36 Gerechte
1972	Endgültiger Einzug ins Nelly-Sachs-Haus, das Elternhaus der jüdischen Gemeinde in Düsseldorf.
	Inventar
1974	*Ohne Visum*
1975	*Andere Zeichen*
1976	*Gesammelte Gedichte*
	Mit diesem Band beginnt die Zusammenarbeit mit dem Literarischen Verlag Braun, Köln.
	Noch ist Raum
1977	Ida-Dehmel-Preis der GEDOK
	Gryphius-Preis
	Letzte öffentliche Lesung anläßlich der Preisverleihung.
	Zur Eröffnung der Ausstellung »Rose Ausländer« im Heinrich-Heine-Institut, Düsseldorf verläßt die Autorin letztmalig das Nelly-Sachs-Haus.
	Doppelspiel
	Selected Poems (London, erste Auslandsausgabe)
1978–1988	Bettlägerig.
1978	Ehrengabe des BDI.
	Aschensommer (erstes Taschenbuch)
	Mutterland
	Es bleibt noch viel zu sagen
1979	*Ein Stück weiter*
1980	Roswitha-Medaille der Stadt Bad Gandersheim.
	Die Zusammenarbeit mit dem S. Fischer Verlag, Frankfurt am Main, beginnt.
	Einverständnis
1981	*Mein Atem heißt jetzt*
	Im Atemhaus wohnen

	Einen Drachen reiten
1982	*Mein Venedig versinkt nicht* *Südlich wartet ein wärmeres Land*
1983	*So sicher atmet nur Tod*
1984	Literaturpreis der Bayerischen Akademie der schönen Künste. Die Herausgabe der *Gesammelten Werke* (GW) im S. Fischer Verlag beginnt. *Hügel / aus Äther / unwiderruflich* (GW Band 3) *Im Aschenregen / die Spur deines Namens* (GW Band 4) *Ich höre das Herz / des Oleanders* (GW Band 5)
1985	*Die Sichel mäht die / Zeit zu Heu* (GW Band 2) *Die Erde war / ein atlasweißes Feld* (GW Band 1) *Ich zähl / die Sterne meiner Worte*
1986	Literaturpreis des Verbandes der Evangelischen Büchereien für *Mein Atem heißt jetzt.* *Wieder ein Tag / aus Glut und Wind* (GW Band 6)
1987	*Ich spiele noch* *Der Traum / hat offene Augen*
1988	Am 3. Januar stirbt Rose Ausländer in Düsseldorf im Nelly-Sachs-Haus. Sie wird auf dem jüdischen Friedhof im Nordfriedhof in Düsseldorf beerdigt. *Und preise die kühlende / Liebe der Luft* (GW Band 7)
1990	*Jeder Tropfen / ein Tag* (GW Band 8) Mit diesem Band liegt das Gesamtwerk Rose Ausländers vollständig vor.

Alphabetisches Verzeichnis nach Gedichttiteln

Alphabetisches Verzeichnis nach Gedichtanfängen

Quellenverzeichnis

Die Erde war / ein atlasweißes Feld
Gedichte 1927 bis 1956
Herausgegeben von Helmut Braun
Gesamtwerk Band 1
S. Fischer Verlag, Frankfurt am Main 1985
S. 197 bis 307

Inhalt

Rose Ausländer

Gesamtwerk in Einzelbänden

Herausgegeben von Helmut Braun

Wir ziehen mit den dunklen Flüssen
Gedichte 1927-1947. Band 11151

Denn wo ist Heimat?
Gedichte 1927-1947. Band 11152

The Forbidden Tree
Englische Gedichte
Band 11153

Die Musik ist zerbrochen
Gedichte 1957-1963. Band 11154

Wir pflanzen Zedern
Gedichte 1957-1969. Band 11155

Wir wohnen in Babylon
Gedichte 1970-1976. Band 11156

Gelassen atmet der Tag
Gedichte 1976. Band 11157

Sanduhrschritt
Gedichte 1977-1978. Band 11158

Fischer Taschenbuch Verlag

fi 167 / 22 a

Rose Ausländer

Treffpunkt der Winde
Gedichte 1979. Band 11159

Hinter allen Worten
Gedichte 1980-1981. Band 11160

Die Sonne fällt
Gedichte 1981-1982. Band 11161

Und nenne dich Glück
Gedichte 1982-1985. Band 11162

Brief aus Rosen
Gedichte 1987. Band 11163

Schweigen auf deine Lippen
Späte Gedichte aus dem Nachlaß
Band 11164

Die Nacht hat zahllose Augen
Prosa. Band 11165

Schattenwald
Nachträge. Gesamtregister
Band 11166

Fischer Taschenbuch Verlag

fi 167 / 5 b